Sale volando por la ventana...

Shakespeare
Querido señor
En referencia a su correspondencia asegurándome que los dineros están en el correo...
scratch
scr

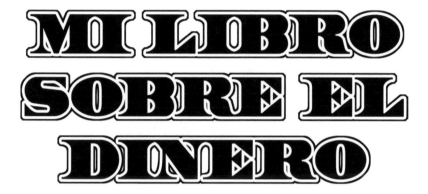

MI LIBRO SOBRE EL DINERO

Esa cosa maravillosa y horrible

EDDIE CAMPBELL

Traducción de Santiago García

ASTIBERRI

CAMPBELL

y cómo se volvió así

lguien dijo que la primera señal de la madurez es que te salga pelo en las orejas.

La segunda es hablar de dinero en la mesa.

Es hora de hablar de esto.

Esa cosa maravillosa y horrible.

Durante toda una tarde pensé en titular esto HISTORIA DE LA ESTUPIDEZ, pero eso habría dado una impresión equivocada.

Pues siempre he sido una persona sensata en extremo en lo referente a esta "cosa".

Querrás decir que eres un rácano

EL TIEMPO ES DINERO.

Es una máxima que siempre me ha molestado.

Un obstáculo en el camino del soñador.

¡Eh! El tiempo es dinero

Que un día podría descubrir que sus "ensoñaciones ociosas" valen mucho.

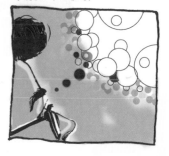

Y que así sustituiría la vieja máxima con una nueva:
EL DINERO ES TIEMPO.

¿Cuánto valemos?

Unos doce meses

Porque este soñador se ha vuelto cauteloso al tener tiempo abundante para pensar en el dinero desde un punto de vista puramente teórico.

Money and how it gets that way.

Henry Miller 1938

Mide su valor por cuánto tiempo podrá mantenerse cuando le quiten la escalera sobre la que se apoya.

El aire sopla a izquierda y derecha en los tiempos de la propiedad intelectual.

Y depender de imprevisibles deja de producir terror sólo cuando se convierte en un estilo de vida.

O el ciclo de la vida, o el tiovivo.

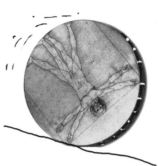

Porque, ¿qué hace con todo el tiempo que sigue amontonando? Pues lo usa para soñar más.

No necesita ahorrarlo para las vacaciones, pues ya van incorporadas en el material.

Viaja a muchos sitios. Sólo necesita firmar un puñado de libros al llegar.

Aunque se pagara el viaje él mismo, entre las desgravaciones y gaitas diversas, acaban saliendo las cuentas.

Y no es que descanse de las ensoñaciones mientras tanto, porque la cabeza viaja con él.

A veces, su esposa del alma también le acompaña, pero me estoy adelantando

l soñador le duele que el mundo le haga pensar demasiado en el dinero.

Aún más, Sr. XXXX, un recibo verde de hace seis semanas, y otro azul de hace cuatro, también siguen atascados entre sus colmillos.

Está claro que he confiado demasiado en su hábil y nuevo sistema de pago a través de vales de colores.

Le adjunto un boceto de uno de mis zurullos de colores. Éste es MARRÓN.

Cordialmente etc.

La parte más creativa de la vida creativa es inventar formas de persuadir para que te paguen los cheques atrasados.

¿Crees que todos los artistas y escritores de la historia tuvieron que hacerlo?

Se lo preguntaré a ellos esta noche en el café.

Hum, tendré que salir.

Creía que el Café Guerbois sólo estaba en tu cabeza.

El de mi cabeza se ha quedado sin cerveza.

¡Eh, Bill!

Quería hacerte una pregunta.

¿No te parece absurdo que una gran parte de la vida creativa se consuma escribiendo cartas para conseguir un dinero que ya te has ganado?

Eddie, en verdad es cierto lo que dices.

Un gran número de mis mejores frases han sido reutilizadas al servicio del cobro de deudas.

Por ejemplo... ¡ejem!

TRES VECES me habéis prometido que dichos dineros llegarían... mañana, y mañana, y mañana.

"...¿Tal vez ese mañana no se arrastra con paso imperceptible y se encarna en el hoy de cada día?"... ¡de Macbeth!

Y otra:

Decís que los dineros han sido enviados. Así lo tengo entendido y en parte lo creo.

¡JA! ¡Ése es Horacio, de HAMLET!

Sin embargo, tales menudencias nos alteran; perdemos la paciencia.

Hasta que no podemos más que desencadenar nuestra furia extemporánea...

9

¡Oh, maldito seáis, perro inexorable!

Vuestra alma bastarda gobernaba antaño a un lobo, ahorcado por devorar humanos.

Pero incluso del CADALSO su alma vil huyó

¡Y SE INFUNDIÓ EN VOS!

PUES VUESTRA maldad es LOBUNA, sanguinaria, hambrienta Y voraz

¡Esperad! Hay más.

Tal vez por azar vuestros dineros hayan sido enviados antes de que recibáis esta carta...

¿Qué opináis, entonces, del soliloquio de mi nueva obra?

No tiene sentido. ¿Tiene lugar en el mundo "real", o sólo en la cabeza de Campbell?

¿Qué quieres decir?

Si está todo en la imaginación de Campbell, ¿por qué tiene que salir de casa?

Tal vez sólo imagine que está saliendo de casa.

Te lo voy a plantear de otra manera: ¿los demás personajes ven a Shakespeare?

Sí, por supuesto, Gareth.

Pero es una fantasía de la imaginación de Campbell, ¿no?

Supongo que podrías decir eso, sí.

Míralo desde NUESTRO punto de vista. Tenemos que vendérselo a la cadena.

Y el público de la tele no lo aceptará tal y como lo pones aquí.

¿Qué quieres decir?

Esto: cuando lo vemos desde el punto de vista de Campbell...

...deberíamos ver a Bill.

Pero cuando pasamos al punto de vista de otra persona...

Campbell debería estar hablando con un espacio vacío.

Entonces Campbell quedaría como un chiflado.

Además, tengo otro problema más grave con Shakespeare. Verás, haces que use palabras rimbombantes...

Ajá.

Pero eso es lo que se supone que tiene que hacer, así que en realidad no tiene gracia, ¿no?

Tenemos que jugar en contra de las expectativas, ¿entiendes?

¿Y qué va a hacer si no?

¿Qué tal... dar cabezazos?

ESO sí tendría gracia

¡Un momento!

¡Eh, Bill!

Es mejor valorar al enemigo como más poderoso de lo que parece.

Muy bien, que-rida... ¡cuentas destacadas!

Aubrey vuelve a retrasarse.

Vamos a hacer una variante del "zurullo resbaladizo"...
Querido Aubrey:
Eres...

clac
clac

stoy viendo un varano que me hace pensar en el dinero.

En mi cabeza, se parece al que sale en el viejo billete de dólar, introducido aquí en 1966, cuando la moneda pasó a decimal.

El Banco de la Reserva Federal decidió decorar el billete con arte indígena y el diseñador utilizó una variedad de imágenes sacadas de fotos, suponiendo que todas eran cultural y temporalmente remotas.

La composición de la izquierda resultó ser de un artista contemporáneo de treinta y tantos años, David Malangi.

Abochornado, el Banco de la Reserva le ofreció mil pavos, que no estaba mal.

Y le hicieron una medalla especial.

Malangi se compró una barca con el dinero y lució su medalla orgullosamente el resto de su vida.

El motivo del varano sigue siendo genérico y/o anónimo.

Aquí llega otro.

Ahora le están dando.

La leche, cómo se pasan.

Creo que la ha matado.

Pero luego, después de unos minutos que se hacen muy largos, se levanta y se marcha.

Ayer leí que la industria del arte indígena australiano genera 250 millones de pavos al año.

El viejo billete de dólar fue sustituido por una moneda en 1984. El que utilizo aquí me costó cuatro pavos la semana pasada. Me guardé el recibo para desgravarlo.

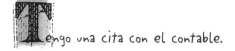engo una cita con el contable.

Mientras mato veinte minutos, recuerdo la primera visita hace diecisiete años.

¿Has leído lo de ese contable que consiguió que a las prostitutas les desgravaran los condones?

Da igual que sea ilegal, el gobierno les cobra por sus ganancias...

Lógicamente, argumentó, entonces tienen derecho a desgravar sus gastos, incluyendo los condones...

Ese contable, Brian, es el que me hace la declaración, te lo he mencionado antes...

Su especialidad son los artistas y las industrias creativas: cine, teatro, arte indígena. DEBERÍAS ir a verle.

Cielito, vamos a cambiar a un contable nuevo este año. He pedido una cita.

Brian les recibirá dentro de un momento. Por favor, tomen asiento.

Artista

Contable

Hay dos cosas que siempre le digo a un cliente nuevo...

Una: reúna y sume todo lo que pueda antes de traerlo.

Dos: nunca gaste dinero sólo para desgravarlo.

Todo muy lógico

oh oh, ¡alerta de popó!

¡Se le sale por los lados!

El baño es la primera puerta a la izquierda.

...etcétera. Una última pregunta: Mi cómic trata de Baco, el dios del vino. ¿Puedo desgravar lo que bebo?

no.

¿Ya hemos terminado?

Me encargaron escribir y dibujar un número suelto de Batman a través de una serie impredecible de contactos.

Había realizado y publicado una entrevista en profundidad con un hombre que fue uno de los dibujantes anónimos del personaje entre 1947 y 1953.

Así supo el mundo que conservo un cariño infantil por aquellos tebeos antiguos

No es algo que yo buscara. De hecho, rechacé una invitación.

¿Por qué?

No hago ese tipo de historias.

Cometí el error de mencionarlo a mi colega White.

Yo tengo ideas que podrías aprovechar.

Así que escribimos un cómic de Batman de 48 páginas para DC Comics, Nueva York.

Se fue complicando.

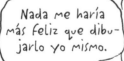

Nada me haría más feliz que dibujarlo yo mismo.

Bueno, se acabó. Han dicho que un autor no puede escribir y dibujar un cómic sin estar constituido como empresa. Debe de ser una barrera legal.

Constituirse como empresa no es tan difícil como crees. Una empresa sólo es una caja con papeles que metes debajo de la cama.

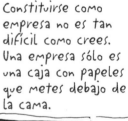

De hecho, mi colega White es contable certificado con experiencia, así que me montó una empresa prefabricada.

1.000 $ de registro oficial, y yo no te cobro nada a cambio de escribir Batman.

Aquí tienes el cheque.

La ley exige que las empresas tengan un nombre singular, y eso se consigue juntando dos palabras sin relación alguna. Bueno, así es como me lo explico yo.

Antílope Piña, S. L.

A mi colega White se le ocurrió una combinación que no pudiera dejar de avergonzarme, y comprobó que fuera singular.

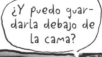

¿Y puedo guardarla debajo de la cama?

Ahora Anne y tú estáis registrados como directores de la empresa.

Sólo para que pueda dibujar Batman.

Compliqué más las cosas pidiendo hacerlo pintado. Esto me abrió la puerta a una nueva fase.

Publicar mi cómic mensual en blanco y negro desde el salón de casa era algo que ya había dejado atrás.

Ahora hacía libros pintados a todo color, encuadernados en tapa dura o con grandes solapas.

Me pagaron un buen adelanto por el trabajo, y luego me perdí en mi cabeza durante un año seguido.

Así pasaron tres o cuatro años en la vida del

Sr. Antílope Piña

a r t i s t a

ARS SUPRA TIT

Sin embargo, la empresa pronto se convirtió en un lastre.

Es un coñazo.

Bastante me costaba recordar un montón de impuestos y obligaciones.

Me voy a librar de ella.

Sin tener que recordar otro más.

Era tu oportunidad de ahorrar algo de dinero.

Por ejemplo, ahora tenía que considerarme a mí mismo empleado de la empresa.

INDUSTRIAS ANTÍLOPE PIÑA

Esto es lo que deberías haber hecho: comprar el coche nuevo a nombre de la empresa.

Y al mismo tiempo, como contable de la empresa, tenía que recordar la fecha límite para pagar la pensión del empleado.

Te devolverían el IVA por adelantado, y podrías deducir el seguro, el registro y la depreciación cada año.

Más de una vez yo, como empresa, fui multado por saltármela.

Por supuesto, Anne tendrá que pagar el impuesto de beneficios marginales, pero si conduces más de 15.000 km al año... y conviertes la gasolina en una contribución privada... saldrías ganando.

Todavía no es demasiado tarde. Trasladaremos el préstamo a la empresa. Haremos que Dan prepare un acuerdo de traslado.

...antes tienes que presentar tu Declaración de Actividad Económica.

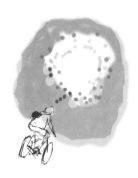

¿Hoy has quedado con Brian Tucker?

Sí. Quiero que me disuelva la empresa.

¿Todavía la mantienes?

Sí. Supongo que salir va a ser más complicado que entrar...

Y tendrás que firmar unas cuantas cosas.

Erin, ¿puedes dejarme en el centro cuando vayas al trabajo?

nuevo flamante

flamante flamante

Paso el rato tomando una taza de té, pensando en Bruce Wayne en un salón de té inglés de 1939 en nuestro cómic de Batman.

Fuera del salón de té hay una pizarra con una cita para hoy escrita con tiza.

"Reputación = carácter menos lo que te han pillado haciendo"
—Michael Lapoce

Brian le recibirá dentro de unos minutos. Por favor, tome asiento.

¡Brian! Eddie, ¿cómo estás?

...etcétera. ¿Entonces eso es todo lo que tengo que hacer para disolverla?

Sí. Una vez te dije que una empresa no era para ti.

Pero ¿es cierto que la constituiste para poder dibujar un tebeo de Batman?

Sí. Es gracioso. Pero mola.

Ahora, ¿tengo que entregar la caja de papeles que tengo debajo de la cama?

Ah... no, te la puedes quedar.

Quieren describir mi familia como "disfuncional"

Sabía que no te gustaría. Pero es para la tele.

Y una familia normal y equilibrada no sirve para una buena comedia.

Gareth, soy el tío más conservador que conocerás jamás. Llegaría al punto de decir que estoy chapado a la antigua.

¿Por qué tengo que sentarme a cenar en la mesa todas las noches? ¡Ninguna de mis amigas tiene que hacerlo!

¡Porque es una vieja tradición, y me gusta!

Y otra cosa, Erin.

Cuando terminaste la escuela te tiraste ocho meses tumbada en el sofá.

¿No puede esperar?

Y aquí estás ahora, una joven trabajadora con tu pulsera de Tiffany y tu bolso de Louis Vuitton...

¿Y qué?

¡Se te enfría la cena!

Que mamá y yo lo hemos hablado y creemos que ya es hora...

De que colabores con los gastos de la casa...

¿Qué? ¿Cuánto?

Cincuenta pavos a la semana.

Que te lo has creído.

Sí

¿Por qué? ¡Mis amigas no lo hacen!

Porque es una vieja tradición de la clase obrera.

Inculca a los jóvenes el sentido de la responsabilidad fiscal.

También anima a los jóvenes a empezar a ver a sus padres como personas con sus propios intereses y preocupaciones...

en lugar de sólo como proveedores.

No estoy de acuerdo para nada.

No es que acabe de sacar el tema. Llevamos semanas discutiéndolo.

No es demasiado tarde. Trasladaremos el préstamo a la empresa. Haremos que Dan haga un contrato de traslado.

¡Sólo piensas en el DINERO! ¡Pues AQUÍ LO TIENES!

¡Muy bien! ¡Pues no puedes usar el coche para ir al trabajo! ¡Dame las llaves!

¡NO!

¡Dame las llaves del coche!

¡PARA! ¡Me haces daño!

Papá, deja en paz a Erin.

No me gustaría pegarme con mi hijo. Su ortodoncia me costó un pico.

Si te vas a poner así, tendré que

incapacitar el coche.

hum... deshinchar los neumáticos no serviría de nada. Me tocaría a mí volverlos a inflar.

Pasamos dos días rodando una película de prueba de dos minutos en la que Campbell se interpreta a sí mismo, la esposa se interpreta a sí misma y un tío con un traje especial interpreta al Narigudo.

Acabamos de añadirle una animación muy astuta...

cuando repentinamente...

Llega la crisis mundial...

La agitación de Wall St. hunde las bolsas

15 de septiembre de 2008

En los dos últimos meses, el caos ha dado un giro para peor. Tres de los cinco mayores bancos de inversiones de Estados Unidos se han hundido o han sido comprados desde marzo. El desplome de los precios de la vivienda también ha mermado el gasto de los consumidores y ha frenado la economía en general, que ha perdido 700.000 empleos este año. Aun así, los inversores han mantenido las esperanzas de que la economía evitaría una recesión a gran escala. Ahora esa confianza parece esfumarse

comedia propuesta como serie a partir de los libros de Campbell

era una propuesta atractiva.

que rápidamente encontró financiación.

Y así, empezó
el desarrollo...

En el cual, Campbell
se resignó a la misión
de asesinar sus más
valiosas ideas.

Tales como el concep-
to de que un artista
imagina en su cabeza
que se comunica con
sus mentores del
pasado...

Que se formuló en la
imagen de un café
metafísico donde los
individuos creativos
de la historia...

todavía se dejan caer
de cuando en cuando.

En la comedia no hay
lugar para la sutileza.

De hecho, habría asesinado
a muchos más para conse-
guir el trabajo.

La serie propuesta, al
final, es muy costosa
y tiene animación y
efectos gráficos.

Y las circunstancias
lo han sacado del
mercado.

14 de noviembre de 2008
La crisis mundial se agudiza
La crisis de crédito empeora antes de la reunión del G20 en Washington
PARÍS - El impacto de la recesión cayó sobre
Europa el viernes cuando los líderes de más
de 20 países ricos y emergentes se dirigían
a una reunión de crisis en Washington. La
UE anunció que los 15 países de la Eurozona
estaban en recesión por vez primera, con una
contracción del 0,2 por ciento en el segundo y
tercer trimestres. Italia informó de que estaba
en recesión. España informó de su primera
contracción trimestral en seis meses y Holanda
dijo que llevaba seis meses de crecimiento
cero. Francia evitó por poco unirse a Alemania
y Gran Bretaña en la recesión.

Lo que tampoco ayudó al departamento de comedias de la cadena fue un escándalo con un chiste sobre pacientes de cáncer infantil.

Ni el consiguiente despido del jefe del departamento.

que era la persona creativa que había firmado para desarrollar nuestra serie.

jefe de comedia

sustituido por

chiste infantil

11 de junio de 2009

Se adoptó una posición conservadora. La orden del día es hacer sólo compras seguras

versiones locales de series que ya han tenido éxito en otro sitio

Tal vez nunca veamos a Shakespeare dando cabezazos al productor.

AUSTRALIA: Baja el empleo mientras la crisis se agudiza

12 de abril de 2009

Pero las cifras de la población activa hechas públicas por el Instituto de Estadística de Australia el jueves revelan que la crisis mundial está teniendo un impacto en el mercado laboral doméstico. Las cifras mostraban que la tasa de desempleo aumentó del 5,2% al 5,7% el mes pasado, mientras que el número de personas empleadas a jornada completa caía en casi 40.000 y el número de trabajos a jornada parcial aumentaba levemente.

Ni al Narigudo practicando la proctología nocturna con Campbell...

Sé que tenía que ver con las revisiones de próstata. Tarde o temprano tendrás que rendirte

Y las otras ensoñaciones diurnas que podrían haber llenado su cuenta bancaria.

Obama: La crisis frena los avances en el cambio climático

Jueves, 9 de julio de 2009

La crisis mundial ha frenado los avances para llegar a un acuerdo sobre el cambio climático, pero los líderes deben "combatir la tentación del cinismo" y seguir intentando avanzar, según dijo el presidente Barack Obama en una reunión de las potencias ricas y emergentes en L'Aquila, Italia, este jueves.

Pero olvidémonos del dinero. Campbell se veía en una nueva fase de su carrera,

En la que podría actuar a tope y ser una personalidad interesante de la televisión.

Un narrador en las tertulias, y no sólo para explicar qué es una "novela gráfica"...

eddie campbell

La.

Comedia

está

Miércoles, 8 de julio de 2009
La crisis mundial se alivia, la recuperación es frágil, dice el FMI
WASHINGTON (Reuters).
La economía mundial está empezando a salir lentamente de su crisis más profunda desde la Segunda Guerra Mundial, pero la recuperación será lenta y son necesarias las políticas de apoyo, según dijo este miércoles el Fondo Monetario Internacional.

ONU: La crisis mundial aumenta la desnutrición y las tasas de muerte
Johannesburgo
1 de septiembre de 2009
Las Naciones Unidas dicen que la crisis económica mundial está aumentando las tasas de desnutrición y muerte entre los niños africanos, al mismo tiempo que reduce su acceso a las escuelas y la asistencia médica. La declaración fue hecha pública cuando los líderes mundiales se preparan para reunirse el 24 y 25 de septiembre en los Estados Unidos para estudiar formas de proteger de los reveses a los más vulnerables.

El programa crediticio de EE.UU. aumenta los males inmobiliarios
1 de enero de 2010
El programa de 75.000 millones de dólares de la administración de Obama destinado a proteger a los propietarios de viviendas de la ejecución de sus hipotecas ha sido considerado ampliamente un fracaso, y algunos economistas y expertos inmobiliarios argumentan ahora que ha hecho más daño que bien.

en

la

oportunidad.

LOS NUEVOS POBRES
Millones de desempleados se enfrentan a años sin trabajo
20 de febrero de 2010
BUENA PARK, California.—Mientras la economía norteamericana muestra señales indecisas de rebrote, el precio humano de la recesión sigue aumentando, y millones de norteamericanos siguen sin trabajo, sin ahorros y están casi agotando sus prestaciones por desempleo.

Un informe muestra el giro hacia la familia ampliada
18 de marzo de 2010
La familia ampliada está volviendo, gracias al retraso en el matrimonio, la inmigración y las pérdidas de empleo inducidas por la crisis y la ejecución de hipotecas que han obligado a muchas personas a refugiarse bajo un mismo techo, según ha descubierto un análisis de las cifras del censo.

l problema de la deuda: no tenerla.

Quedo para comer con mi consejero económico.

Eh, Lee, tengo una demanda de 1.787 $ de un abogado especializado en cobro de deudas.

¿Es por el problema de la compañía eléctrica? Ya te dije que no iba a desaparecer.

Sí, me llamaron nueve veces pero no quise hablar con ellos porque me niego a dar detalles de mi identidad.

Ahora he descubierto que creen que les debo dinero...

Parece que fue ayer cuando tenía 21 años y mandaba algunas historias al cómic mensual que yo publicaba.

De hecho fue hace 13 años que llevó una caja de su cómic del Hombre Lagarto a vender en una convención de Sídney

No tenía una tarjeta de crédito que presentar cuando llegó al hotel.

Así que sufrió la vergüenza de ver cómo sacaban el minibar de su habitación antes de dejarle entrar.

En aquel momento de humillación juró que lo averiguaría todo sobre aquello del crédito.

Lo juro por el temido Dormammu

Miró su certificado de bellas artes de la escuela técnica. Luego abandonó su empleo en la tienda de ropa de hombre y se buscó trabajo en el centro de atención al cliente de un banco.

A partir de allí consiguió ascender hasta Gerente de Préstamos Estatales, manejando movimientos por valor de dos mil millones anuales.

Eso se debió, en gran medida, a su capacidad para resolver creativamente los problemas y a su "pensamiento lateral".

Así que a este muchacho que se ocupó del funeral de su padre aquel mismo año del Hombre Lagarto, es a quien pregunto por el crédito.

¿Qué pueden hacer? ¿Mandarme a unos matones?

Nada de eso. Te darán una calificación de crédito mala.

Pero no querrás que eso pase por nada del mundo.

¿Qué sería lo peor en ese caso?

Que nunca podrías pedir dinero.

Pero yo no creo en pedir dinero.

Bueno... entonces no tienes nada de qué preocuparte, ¿verdad?

El hombre que no tiene nada de lo que preocuparse no consigue dormir.

i prestes ni pidas dinero.

Os presento a Campbell y su suegro, un abogado con más de cincuenta años de experiencia. Parecen personas racionales.

> Oh, no, Eddie, sin pedir dinero nunca llegarás a ningún lado.

Pero esa apariencia podría esfumarse rápidamente, como veréis.

En mi opinión, podemos contar entre nuestros logros cualquier accidente de la vida que caiga a nuestro favor.

Naturalmente, cualquier revés que nos suceda a partir de ahí será culpa nuestra.

Las primeras palabras que me dijo mi futuro suegro fueron:

> Mi padre quiere decirte una cosa.

> Eddie, si alguna vez le tocas un pelo de la cabeza a mi hija, descubrirás que el mundo no es lo bastante grande para que te escondas.

> ?

Como para sentir una preocupación crónica por el plan de los judíos para conquistarlo.

> ¿Que te ha dicho qué?

> Qué vergüenza

Diría que tenía una mentalidad de pueblo, salvo que los habitantes de los pueblos normalmente no piensan tanto en el mundo en general...

> Deberías pasar más tiempo en el mundo real, Eddie, así sabrías lo que está pasando.

Es un extraño y pequeño lugar, que esta caprichosa y anticuada etiqueta de vino a menudo me trae a la mente.

Donde los jóvenes son denominados "el chico" y "la chica".

Veo que el chico de los Reitano ha vuelto de la universidad.

Me han dicho que la chica de los Williams se ha juntado con un artista en Londres

¿Te imaginas lo que va a decir su padre?

Mi suegro tenía la firme convicción de que uno debía casarse con una persona de su propio pueblo...

Casarse con un extraño era un peligroso salto mortal en la oscuridad.

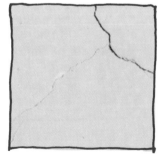

Un artista sin dinero...

Yo soy un artista. No tengo dinero. Bueno, quiero decir que no lo tenía entonces. Y siempre he supuesto que otros saben cómo desenvolverse mejor en ese tema.

Mi suegro tenía una casa grande y un barco. Y una piscina.

Tardé mucho en empezar a verle las grietas.

Pidió prestados cien mil dólares para construir la casa grande y lamentaba que con la subida de las tasas de interés acabaría devolviendo un cuarto de millón.

Era muy curiosa su fe en el sistema monetario, esa visión optimista del progreso humano, fomentada supuestamente por el boom de la posguerra...

Esa certeza de que no estaremos todos viviendo en un tercer mundo mucho antes de que los combustibles fósiles se hayan agotado...

Esa creencia de que hay un dios que lo tiene todo bajo control, y que requiere cierto grado de autoengaño...

Revelado en los problemas y gastos necesarios para que anularan el matrimonio de su hijo mediano...

De manera que nunca hubiera pasado, sin importar las regulaciones civiles ni lo que hubiera visto nadie.

Desde luego que se casaron. Deberías de haber visto la tarta.

Cuando se acabó el segundo, ya no se podía negar que era un divorcio.

Para entonces, su hija y yo ya nos habíamos casado sin pasar por la iglesia, y mi suegra no nos hablaba.

Durante mucho tiempo mantuvo la esperanza de transmogrificar ese matrimonio falso en uno verdadero.

Sabes que todavía podéis renovar vuestros votos en la iglesia.

Sí, y qué más.

Sus negocios inmobiliarios siempre acababan mal. Con la casa grande, encargó la construcción frente a una playa...

Donde el mar está infestado de medusas durante todo el verano

("entre las criaturas más venenosas del mundo")

Perdió un pico en la reventa.

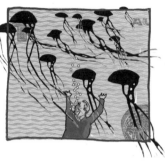

Una posterior redistribución doméstica hizo que mis suegros compraran una casa con el hijo mediano.

Discutieron y en cierto sentido fue el tercer divorcio del hijo.

Después de esta debacle, los suegros se retiraron a una urbanización de jubilados.

Esta serie de reveses había mermado considerablemente sus reservas...

De modo que la aportación financiera que necesitaban para ingresar equivalía, con toda la inevitabilidad de la gran tragedia...

al valor exacto de nuestros globos de helio.

Hablamos de dos años, o 73 mil pavos, que, incluyendo impuestos, era el doble del salario anual medio.

Ya había firmado un contrato que le garantizaba que le devolverían el mismo dinero al salir que el que ponía al entrar.

No hay riesgo

Para ser justos, no debería culpar a mi propio padre por mi visión del dinero...

Pero dijiste que nunca hay que pedir ni...

Teníamos ese "poquito de sobra" gracias a FROM HELL, un éxito que probablemente no se repetiría.

Propiedad intelectual

Así que le prestamos dicha cantidad al suegro, para que pudiera proporcionar una casa a la suegra durante su último año de vida, como acabó resultando

Es tan seguro como una casa

No, eso es Polonio, en Hamlet: "Procura no dar ni pedir prestado a nadie, porque el que presta suele perder a un tiempo el dinero y el amigo..."

Sus hijos estaban muy callados al respecto, y él acudió a ellos con la gorra en la mano.

No te sometas a eso. Yo te lo dejaré.

Se hace un nudo en el estómago de Campbell, mientras un gaitero de su clan toca un lamento...

"Y el que se acostumbra a pedir prestado falta al espíritu de la economía y el buen orden, que nos es tan útil".

BILL

Siete años se van por la garganta de Cronos, con Ananké midiendo las fracciones.

Siete años, cordiales y joviales.

Mientras tanto, el suegro ha revisado la Ley de Urbanizaciones de Jubilados de 1999 un trillón de veces.

Siempre confirma que la empresa se reservó por contrato más de lo que le correspondía legalmente.

Y que debería recibir el valor completo de la reventa de la casa y no sólo la devolución de la cantidad que pagó por ella

Ha triplicado su valor.

Es una cuestión de interpretaciones

Y si hay algo de lo que sé, es de interpretaciones.

Es demasiado sutil para mí

¿Ves?

No, ¿pero qué voy a saber yo?

Es inexplicable que un abogado con cincuenta años de experiencia firme algo tan ambiguo, para empezar.

Los propietarios ofrecen un acuerdo pagando 100.000 $ más, pero no está dispuesto a aceptarlo.

Ganaré, porque tengo razón.

¿Pero es que no has visto Harry el Sucio?

Aquí hay una imagen del dinero saliendo por la ventana. Podrías detenerlo si no fuera una composición tan cautivadora.

Adónde va: primero pide la opinión de un letrado, cuya tarifa son 10.000 $. Concluye que el otro no tiene argumentos.

De verdad que no lo veo.

En segundo lugar, acude a los tribunales. Su propio letrado le hace el trabajo como un favor, pero el juez lo rechaza y le ordena pagar las costas del otro lado, que ascienden a 50.000 $

Habían acordado cubrir cada uno sus propias costas, pero el otro lado no se queja. Sin duda, no es la primera vez que pasa.

En tercer lugar, pensando equivocadamente que el otro lado ha contratado "asesoría superior", el nivel más elevado de la abogacía, él también la solicita.

Para su horror, la tarifa de la asesoría superior sube a 30.000 $. La cuenta se planta en 90.000 $, que tienen que salir de su parte de la venta de la casa...

Los 160.000 $ sentados en un fondo durante el año de disputas.

14 de noviembre de 2008
La crisis mundial se agudiza
La crisis de crédito empeora antes de la reunión del G20 en Washington

PARÍS - El impacto de la recesión cayó sobre Europa el viernes cuando los líderes de más de 20 países ricos y emergentes se dirigían a una reunión de crisis en Washington. La UE anunció que los 15 países de la Eurozona estaban en recesión por vez primera, con una contracción del 0,2 por ciento en el segundo y tercer trimestres. Italia informó de que estaba en recesión, España informó de su primera contracción trimestral en seis meses y Holanda dijo que llevaba seis meses de crecimiento cero. Francia evitó por poco unirse a Alemania y Gran Bretaña en la recesión.

Mi suegro refunfuña en la habitación que ha alquilado.

No se puede permitir que se salga con la suya.

¡Ladrones!

De pronto, me doy cuenta de que es _mi_ dinero el que está saliendo por la ventana, y llamo a mi suegro.

Me preocupa que vayas a dejarnos tirados

Eddie, nunca os dejaría tirados

Mi esposa del alma le suplica que desista, pero le hierve la sangre.

No, va a recurrir la decisión del tribunal. Puede que mi esposa no vuelva a hablarle jamás...

El asunto excede mi conocimiento de la etiqueta. ¿Hay una forma correcta de reprender a tu suegro?

Aaaaaagh

En nuestra sociedad, lo acostumbrado es que el dinero caiga hacia abajo, de los fallecidos a los mayores y a los jóvenes.

Cuando eres joven, el dinero se gasta cíclicamente, renovándose de forma continua con la paga de los viernes.

En la edad adulta, la misma gente podría llevar un negocio, comprar una casa, educar a sus hijos, invertir en el futuro, o compaginar todo a la vez.

En la vejez, su mundo se encoge. Si no tienen dinero que dejar, se esfuerzan por apartar lo suficiente para que nadie pierda dinero con el funeral.

plan funerario

Hace mucho que habrán aceptado que el mundo ya no les pertenece.

Un universo alternativo: la casa de mi suegro se vende y viene con una botella de champán y un cheque de 73.000 $

En éste: pone un recurso y el dinero, o lo que queda de él, sigue en el fondo durante todo un segundo año.

ONU: La crisis mundial aumenta la desnutrición y las tasas de muerte

Johannesburgo
1 de septiembre de 2009
Las Naciones Unidas dicen que la crisis económica mundial está aumentando las tasas de desnutrición y muerte entre los niños africanos, al mismo tiempo que reduce su acceso a las escuelas y la asistencia médica. La declaración fue hecha pública cuando los líderes mundiales se preparan para reunirse el 24 y 25 de septiembre en los Estados Unidos para estudiar formas de proteger de los reveses a los más vulnerables.

Los jueces no son como eran, dice, como si los jueces fueran algo distinto del sistema que imponen.

Recuerdo las cartas que escribió a su hija cuando esperaba disuadirla de que se uniera a mí

"Eddie no considera sagrada la vida..."

Y las cartas que escribe a su periódico local:

"exhiben la moral depravada de nuestros tiempos en su primera plana..."

"...con la imagen de un deportista y su esposa de facto con su hijo ilegítimo..."

Eddie, ese niño es un BASTARDO.

El mundo ya no le tiene en cuenta eso a nadie.

Pamplinas

A partir de aquí oigo cómo le hierve la sangre en las venas...

Por tanto, si no se puede impedir, nuestro enfrentamiento debe ser epistolar.

Sin duda entenderá mis intenciones.

clac
clac

Un asesinato por correo. Muy desagradable, pero siento una obligación hacia los míos.

Debo aislarme. Ignorar todo salvo el hervor que siento en mis venas.

Querido suegro

Pongo esto por escrito porque contigo por teléfono es imposible ir más allá de las convenciones sociales

Parece que no tienes ni idea de lo furiosos que estamos contigo por sabotear un acuerdo perfectamente válido.

En especial estamos furiosos porque nos has puesto en una situación en la que tenemos que exigirte un pago que sabemos que ya no puedes cumplir.

No has pensado en nuestros intereses en este asunto, obsesionado como estás con...

43

Pero no contesta. Intento entenderlo. ¿Es por orgullo? ¿Es eso lo único que le importa, una última victoria en el juzgado?

Utilizaste las recompensas de nuestro trabajo en un empeño arriesgado y las entregaste a los bolsillos de sabandijas legales

Tuviste la insensatez de hacerlo en medio de un MUNDO EN RECESIÓN, con todos nuestros hijos en edad de ir a la universidad.

Pero no responde. ¿Es la incapacidad de reconocer que está equivocado? Dios sabe que podría tener razón en un sentido legal, pero debería haber sabido el riesgo.

Te devuelvo la tarjeta que nos mandaste por nuestro 25 aniversario. Por favor, NO MANDES MÁS de estas falsas beaterías. Guárdate tus oraciones y tus misas

¿Es el sentimiento de tener derecho lo que le motiva? ¿Siente que todos le debemos algo?

Eres venenoso, pero no como una serpiente, sino más bien como un pozo estancado, peligroso sólo para quienes SE CAEN en él.

¿Es sólo la senilidad? ¿Ha perdido todo concepto del mundo más allá de su cabeza?

Ladrón.

Cinco cartas, sin respuesta. El recurso prospera y otro juez sentencia en su contra y le ordena pagar las costas otra vez.

Cuelga cuando le llamo y no muestro interés en intercambiar convenciones sociales

No se sabe cómo, aparecen 73.000 $ en nuestra cuenta. A quién se lo tuvo que pedir, no quiero saberlo.

A continuación llega una carta en la que subraya la burla de la justicia y lamenta mi inmadurez...

Además de mi carencia

de la inteligencia que te había atribuido

El final tal vez esté provocado por mi serie de cartas dementes, o quizás elija ignorar los 25 años que mi esposa y yo llevamos casados.

Aunque, por supuesto, tal vez nunca lo haya considerado un matrimonio como debe ser.

Con simetría perfecta, sus palabras finales son una repetición de las primeras.

Si alguna vez afrentas la dignidad de mi hija, descubrirás que soy un formidable enemigo...

stamos en un hotel cerca de Lucca, en Italia.

Despertamos a una vista panorámica de olivares.

Persigo a mi esposa del alma alrededor de la cama hasta que ella me atrapa.

Recuerdo que la vida con mi querida mucha-cha solía ser así todo el tiempo.

Cuando hablábamos de sexo en vez de dinero en la mesa.

Estoy invitado por mi editor italiano. Mi esposa oyó la palabra "Toscana", supuestamente el último enclave del romanticismo para el bello sexo, así que ella también vino.

Nuestro mes en el duomo

Florencia

Organicé los vuelos y pagué provisionalmente los billetes desde Australia.

¿Qué?

Dos semanas antes de volar:

¿Es usted el Eddie Campbell que tenía vuelos reservados para Roma?

No me gusta cómo suena ese pasado.

Cielito, tenemos un problema. Resulta que Patty ha estado utilizando su puesto como encargada en la agencia de viajes para malversar dinero.

Me ha dicho que eran centenares de miles

¿Qué? ¡Pero Patty lleva diez años gestionando nuestros viajes!

¿Y los 5.000 $ que pagaste no han llegado a la compañía aérea?

Así está el tema.

El hombre que habló conmigo tiene una franquicia con la misma compañía y ha intervenido para arreglar el desastre.

Supongo que confía en captar a un montón de clientes. El caso es que tenemos que ir a verle por la mañana.

Soy Eddie Campbell, hablé con usted.

¡Ah! Por favor, tomen asiento.

Debo decir que todo esto es un poco irreal.

Todavía estamos aturdidos por su alcance.

Estaré liado por lo menos otra semana intentando solucionarlo

¿Sabe dónde está escondida?

Oh, no se ha _ido_ a ningún sitio. Sigue en casa. Tan pronto como yo acabe aquí, se presentarán los cargos.

Lo imaginaba como en una película de crímenes, con ella huyendo.

Oh, no. Tiene un crío en el colegio.

¿Y su marido?

No sabía nada. Extraordinario.

Me pregunto por qué lo hizo. ¿La crisis?

No. Pura avaricia. Iba por ahí con un BMW, llevaba un bolso de Gucci.

Se tragó un puñado de pastillas, pero no habrían bastado ni para relajarme el dolor de espalda.

Bueno, al menos conocía el protocolo

Me pregunto cómo puede meterse alguien en un lío semejante.

Se lo diré.

Empezaría con un cliente que paga en efectivo, digamos un par de miles.

Sentiría la tentación de embolsárselo y luego usar el cheque del siguiente cliente para cubrir la primera compra.

Ya veo. Y todo se va corriendo un puesto...

¿Cómo lo llaman? Un "esquema Ponzi".

Así que no te pillan, el castillo no se viene abajo. Puedes volver a intentarlo. Todo se corre dos huecos. Y otra vez... etc.

¿Y qué provocó su caída?

Ese plan, como imagino que sabe, depende de que el negocio siga a ritmo constante, o más rápido...

Y de pronto tenemos una crisis. La gente ya no viaja tanto...

Exacto. No había un flujo de dinero que cubriera viajes que ya habían sido reservados, y acabaron comiéndole el terreno

Sr. Campbell, ¿alguna vez ha oído decir que "la desesperación es la madre de la invención"?

¿Sí? Bueno, todos los viernes tenía que depositar las ganancias de la semana en la cuenta central de la empresa.

Descubrió que podía depositar el cheque por la mañana. La empresa lo habría contabilizado a mediodía...

Pero entonces había una ventana de oportunidad durante la cual podía cancelarlo antes de que cerraran.

Después de hacer eso por tercera vez, las alarmas saltaron en la oficina central, que llamó al propietario...

...con mi autorización su banco podrá reclamar el seguro y también devolver el cargo a la cuenta de su tarjeta

¿Qué ha pasado, cielito? ¿Has cerrado el asunto?

Sí. Todo el mundo nota cuándo estás en otra parte.

Eddie Campbell 11/09 to 4/10

2

YAP

LA ISLA DEL DINERO DE PIEDRA

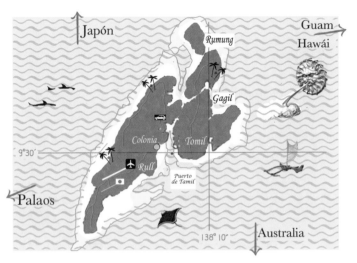

Japón

Rumung

Guam
Hawái

Gagil

Colonia   Tomil

9°30'

Rull

Puerto
de Tamil

Palaos

138° 10'   Australia

Está 9° sobre el ecuador, tiene 27 kilómetros de largo y una población de alrededor de 8.000 personas

Llevamos media hora dando vueltas alrededor de la diminuta isla de Yap, en el Pacífico.

Está a menos de 6 horas en avión al norte de nuestra casa.

Pero los enlaces están descoordinados y hemos tardado 5 días en llegar hasta aquí.

El vuelo que va saltando de isla en isla desde Guam toma tierra aquí 3 veces a la semana y otras 3 veces cuando vuelve.

Esta noche no va a parar aquí.

Debajo de nosotros, las luces de la pista de aterrizaje están estropeadas.

El 738 se dirige a la siguiente isla de la cadena: Palaos, 400 kilómetros al sudoeste.

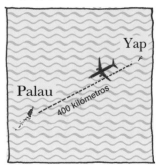

Nos dan otro juego de formularios de inmigración:

¿Cuántos días piensa quedarse?

Ninguno en absoluto.

¿Y en qué dirección va a residir? Pero tiene que dar una dirección, señor.

No tengo intención de residir

Hay un grupo de suizos que van al mismo hotel de Yap que nosotros. Están dando vueltas subidos a los carros de equipaje.

¿Podrá resolverse el problema o nos quedaremos atrapados en la isla equivocada hasta que el siguiente vuelo vuelva dentro de 2 días?

Unas horas después se ha dispuesto que un vuelo a Guam haga una parada fuera de programa en Yap.

El control de pasaportes y aduanas más pequeño que tal vez vea jamás.

Y luego un joven bellísimo me pone alrededor del cuello una guirnalda de plumería

En la húmeda noche tropical, un chubasco frío

Yap empieza con un chiste: la palabra significa "remo de canoa".

¿Qué es eso de ahí?

¿Eh? Eso es yap.

Los yapeses viven resguardados en la jungla. Los atisbas desde los caminos de coral, los saludas y sonríen y te devuelven el saludo.

el "banco de dinero" en Balabaat

Las casas comunales de los hombres son más visibles, elevándose orgullosas en el espacio abierto.

Delante de cada una hay una impresionante diversidad de discos de piedra.

En otro lugar, piezas más pequeñas se apoyan contra las moradas familiares, o junto a la carretera.

Yap tiene interés principal-
mente para dos tipos
de personas: buceadores
y economistas.

Los buceadores acuden a las
aguas al borde del arrecife
de coral que rodea la isla
para ver las enormes man-
tas rayas.

Este grupo es de Polonia,
y están desayunando...

a bordo del Mnuw, un barco malayo de 100 años
utilizado por el hotel como restaurante.

Tienen cierta intensi-
dad, que confundo con
la dureza que a estas
alturas atribuiría a los
buceadores.

Luego descubro que deberían haberse ido en el avión a
Palaos de anoche, el que no llegó. Y ahora se han quedado aquí atrapados dos días, con su siguiente zambullida
celebrándose sin ellos a 400 kilómetros de distancia.

56

Aparte del puñado de hoteles, los edificios de Colonia, la capital de Yap, tienden a tener un aire de provisionalidad.

Unas pesquisas en la Oficina de Visitantes llevan a una entrevista con John Runman de la Oficina de Conservación Histórica en el viejo edificio prefabricado de al lado.

Y así... pero le estoy contando historias.

Historias es lo que vine a buscar. Ni siquiera me importa que se las invente.

Yo no soy ni buceador ni economista, y el último personaje de cómic que vino aquí fue el Tío Gilito en 1960.

¿Cómo empezó el dinero de piedra?

A los yapeses les gustaba viajar. O tal vez se vieran atrapados por una tormenta mientras pescaban y fueran arrastrados.

Como los turistas de todas partes, traerían cosas a su regreso, cosas que no podían conseguir en su casa.

De la isla de Palaos trajeron pedazos de los brillantes acantilados calizos.

Por la existencia de un pez de piedra se supone que primero probaron la talla representativa.

Jefe, hemos atrapado un pez para ti.

Y eso fue sustituido por la abstracción de un simple disco.

Para explicar el disco hay una fábula: que los yapeses persiguieron la luna a través del mar para cazarla y traerla a casa.

¿Y quién contaría semejante fábula? Según parece, ellos mismos se la contaban.

Los imagino muy alegres alrededor de sus fogatas, quemando las ubicuas cáscaras de coco para espantar a los mosquitos.

Los discos, o *rai*, están hechos de una piedra que no se encuentra en Yap, y se obtienen con gran riesgo.

Los yapeses se contaban entre los más hábiles marinos de las islas del Pacífico.

Las tripulaciones de Yap utilizaban los vientos alisios del noreste entre enero y marzo.

Hacían el viaje de cinco días y 400 kilómetros en sus canoas con velas hechas con hojas de pandanus entrelazadas.

Para acceder a las cuevas calizas se empleaban como trabajadores temporales para los palavanos.

Luego pasaban la temporada de los tifones, de junio a noviembre, atrincherados en Palaos, tallando
rai.

¿Había alguna tradición de talla de piedra en Yap?

no, sólo de madera.

Los yapeses tenían siglos de experiencia de talla de canoas que aprovechar.

¿Cómo procedían? Primero extraían y martilleaban pedazos de las paredes de las cuevas.

Calentaban la piedra y luego alisaban minuciosamente su superficie con azuelas de conchas.

Se supone que usaron un taladro muy básico para hacer un agujero en el centro y facilitar su transporte

Luego, las piedras eran transportadas a la playa y a las canoas que esperaban.

¿Tenían alguna impresión de que una piedra *rai* estuviera más cerca de la perfección que otra?

Al modelarlas, ¿había algún espacio para la expresión individual o el añadido decorativo?

¿O ni más ni menos que lo que esperarías encontrar en un lingote?

De vuelta en el hotel, los polacos están cociéndose alrededor de la piscina.

Estos turistas del fondo del mar.

Hay dos chicas. Una retoza por recepción vestida con un tanga.

Que una mujer enseñe sus muslos en la calle sería una grave ofensa.

Colonia en sí es más pequeña que la calle principal del pequeño suburbio donde vivo.

En la calle, una anciana está sentada a la sombra del mediodía.

Los hombres llevan sus aperos para mascar nuez de areca en pequeños bolsitos.

El jabón tiene la forma del rai, o de la luna.

Una luna que perseguir a través del mar.

60

Angumang era de la aldea de Teab en Tomil, un embaucador, en algún momento entre el principio del tiempo y el principio de contar el tiempo.

enorme disco de piedra abandonado en Palaos.

Es el protagonista de diversas versiones de tres historias diferentes que conocí.

Incluyendo la de la luna que ya he contado.

Fad'an era su rival de la aldea de Ngolog en Rull, también un embaucador.

Embaucadores rivales que competían por el botín más grande de rai.

Angumang empezó el viaje con ventaja. Es el marino legendario que descifró la brújula celestial...

Un sistema de 32 estrellas cuyas posiciones y movimientos memorizó.

Y entendía los mensajes direccionales de los oleajes cruzados del mar.

Angumang llegó a Palaos en sólo cinco días, con mucha ventaja. Fad'an y sus hombres se pusieron manos a la obra.

Para cuando llegó el momento de volver a Yap, Angumang y sus hombres habían tallado un gran número de piedras.

Mientras, Fad'an y sus hombres habían tallado sólo la mitad

Fad'an decidió que si no podía llevar el cargamento más grande a casa, al menos sí podría llegar antes.

Utilizaron una balsa a remolque, pues la escala del coleccionismo de rai había aumentado de forma considerable.

(Al principio este tipo de construcción de balsa me pareció poco plausible, hasta que me di cuenta de que los discos funcionaban como quilla).

Cuando se hizo a la mar, Fad'an desconfió de que Angumang le permitiera tomar la cabecera.

Sabía que Angumang era un astuto embaucador. Tenía que ser una trampa.

Desvió su barca a una cala de Palaos y esperó.

Angumang, partiendo con su enorme cargamento, conjuró un tifón fuera de temporada por adelantado para amenazar a su rival.

Impaciente por alcanzar a su rival, Angumang se vio atrapado por el borde de su propia tormenta.

Con su peligrosamente pesado cargamento.

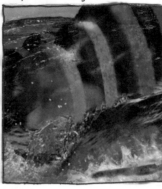

Como medida desesperada, soltó la mitad.

Con una carga más ligera completó el peligroso viaje con éxito.

El alegre recibimiento que le dispensaron a los hombres al volver a casa...

se vio ensombrecido por la tristeza del pueblo por la pérdida de Fad'an y su tripulación.

Mientras, en la cala de Palaos en Remith.

Fad'an y sus hombres esperaron que la tormenta se despejara.

Cuando se dirigían a casa encontraron un cargamento de *rai* flotando a la deriva.

Fad'an lo recogió.

Volvieron a casa triunfantes...

Para encontrar a los polacos en la cubierta superior del Mnuw decantando sus botellas de duty-free en sus gargantas.

Damien el camarero ha ido a buscar al encargado para que se los lleven.

Me siento desconcertado por esta historia de la tortuga y la liebre, en la que el héroe nominal se la juega a sí mismo...

Hasta que leo la versión de la guía de visitantes de Yap, en la que no lo hace, y en la que no hay desequilibrio...

en los respectivos cargamentos de los rivales. ¿Estoy siendo testigo de la persistencia de la rivalidad en la aldea?

Después de desayunar, saludo al encargado británico del hotel. Me cuenta que los polacos llamaron a su puerta borrachos a las tres de la mañana.

Dios sabe qué querían.

Qué gracioso

Hemos alquilado un coche por 20 pavos al día. La moneda moderna aquí es el dólar americano, desde que Yap se convirtió en protectorado americano después de la II Guerra Mundial.

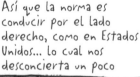

Así que la norma es conducir por el lado derecho, como en Estados Unidos... lo cual nos desconcierta un poco

Pero todos los coches son importados de segunda mano de Japón, con el volante en el lado contrario.

El límite de velocidad es bajo, 30 kilómetros por hora, así que da igual.

Vamos a ver un "banco de dinero", traducido, o más propiamente un malal, o campo ceremonial. Hay muchos de éstos a lo largo de la isla.

El dinero de piedra no era la única moneda. Tenían dinero de conchas y otros valores para el comercio cotidiano.

El rai era lo más importante. Era riqueza.

Después de aquellas primeras aventuras, hubo excursiones frecuentes para obtener el precioso rai.

Eran viajes peligrosos. A veces se perdían tripulaciones enteras en el mar.

El peligro del viaje y la pérdida de vidas se reflejaban en el valor de la pieza.

Aunque ahora eran negras en su mayoría, la apariencia de las piedras también influía en su valor.

"la aragonita estriada de un color marrón chocolate y el blanco lechoso con pequeños cristales eran los preferidos".

Las comidas diarias no hacía falta comprarlas. La comida nada en el mar, o sale rodando de las gallinas. Es ubicua.

El *rai* no era para eso. Podía intercambiarse como regalo con otras aldeas, y se usaba como pago para conseguir ayudas en la guerra.

Cuando el *rai* llegaba a Yap, normalmente se almacenaba fuera de la casa de los hombres de la aldea.

El jefe decidía la propiedad de los discos.

Algunos podían ser entregados a individuos, mientras que otros se destinarían a dinero de la aldea.

Algo notable de las piedras más grandes es que cuando cambiaban de propietario, no hacía falta mover la piedra.

Se celebraba una ceremonia pública y la comunidad sabía quién era dueño de qué.

Hoy las piedras están cubiertas de moho y musgo. Qué espléndidas debieron de lucir antaño, con sus destellos de cuarzo atrapando la luz del sol.

El primer contacto confirmado con europeos se produjo a principios del siglo XVII

Hay una leyenda que dice que un jefe, en la isla alejada de Seepin, tuvo una visión.

En su mente vio a personas de piel blanca llegando en una nave enorme.

El jefe convocó una reunión de los líderes de la isla.

Los jefes de Seepin intentaron convencer a la comunidad de que adoptara una estrategia consistente en sumergir las islas bajo el mar para huir de los desconocidos.

La discusión se alargó y no llegaron a un acuerdo.

Así que los líderes de Seepin interrumpieron con lágrimas las conversaciones.

Los magos de Seepin hundieron la isla entera bajo las aguas

Nunca ha vuelto a verse su dominio atlántido sobre las aguas.

La primera presencia extranjera permanente en Yap se estableció en 1861 por parte de una empresa alemana llamada Goddefroy e hijos.

Goddefroy organizó una estación de recolección de copra, la pulpa del ubicuo coco, que se utiliza para producir aceite.

El gran valor del aceite de coco para los europeos era incomprensible para los yapeses.

Es en este momento cuando el capitán O'Keefe entra en la historia del dinero de piedra de Yap.

Náufrago irlandés-americano, apareció en la costa de Yap en 1871. Allí, un mago llamado Fatumak le devolvió la salud.

Algunos lo consideraban el monarca de Yap, tal y como lo cuenta la novela de 1950.

Lo cual se explota en la película de 1954 basada en el libro y protagonizada por Burt Lancaster.

El éxito de O'Keefe en el Pacífico deriva del hecho de que entendió lo que significaba el *rai* para los yapeses.

No se puede decir lo mismo de la película, cuyo texto de apertura afirma que lo "adoraban".

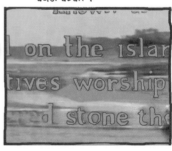

Mientras tanto, los suizos se están cociendo alrededor de la piscina.

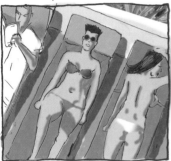

Los polacos se están bebiendo la excelente cerveza casera del hotel. Tienen un nuevo problema.

No podemos volver a Polonia

Tal vez sea cierto. La erupción del volcán Eyjafjallajökull en Islandia ha impedido el despegue de 1.500 vuelos en el norte de Europa.

¡Estamos atrapados durante dos semanas! Aquí o en Manila. He ido a la oficina del gobierno de aquí y he exigido que se ocupen de nuestras facturas de hotel

Dice que el funcionario accedió a su demanda, lo cual no me parece apropiado.

El capitán del Mnuw me invita a disparar el cañón que anuncia la hora feliz.

Le meten un globo de nitrox de buceo y le quitan el morral; un toque con la cerilla y...

BLAM!

Entonces los polacos vuelven a estar felices y a medianoche se largan al aeropuerto.

bolski

Allí los meten a todos en un avión enorme y el autor de esto no volverá a verlos jamás.

Durante el desayuno en el Mnuw,

uno de los suizos nos enseña su vídeo con tiburones frenéticos y amontonados...

a los que alimentan desde la popa del barco después del buceo.

Cruzando el puerto

veo a una niña en la barca de su padre,

sujetando una gallina

De regreso en la Oficina de Visitantes, pregunto si pueden ponerme en contacto con alguien que sepa algo de O'Keefe.

Resulta que el experto en O'Keefe de la isla está allí mismo. Don Evans es el administrador general aquí. También es el propietario de la taberna de O'Keefe en el puerto y de la cantina de O'Keefe, ambas diseñadas por él para tener cierto encanto antiguo.

Don, somos Eddie y Anne Campbell. Nos alojamos en el Manta Raya...

Ah, tal vez hayan conocido al grupo polaco.

Cierta-mente.

Esos pobres estaban atrapados aquí porque el avión no podía aterrizar...

Estuvieron en mi oficina ayer, dando puñetazos en la mesa y exigiendo que los atendiéramos.

NOSOTROS íbamos EN ese avión, dimos vueltas y vueltas. ¿Saben qué causó el problema?

Nadie reconoce nada. Continental culpa a los contratistas traídos por el gobierno de EE.UU.

Ellos han estado haciendo las reformas de la pista para adaptarla a los criterios comerciales

Me pregunto si a O'Keefe le parecería que las condiciones de entrada han mejorado mucho.

¡Si es que de verdad naufragó!

Ése es sólo uno de los aspectos de la historia que no encajan con los datos históricos. No consta ningún barco desaparecido que encaje con ese tiempo y lugar.

Me encanta su entusiasmo. Don me hace valorar las anomalías de la historia antes de saber cuál es la historia realmente.

David Dean O'Keefe fue un capitán de barco de origen irlandés y bandera americana. Tenía esposa y una hija en Savannah, Georgia.

Cuando se estableció en Micronesia, tomó otras dos esposas. La dispersión de su considerable herencia se ha disputado durante años

Sus descendientes en Georgia intentaron desacreditar el libro, que presentaba dos esposas, y la película, que presentaba una sola, pero que no era la de Georgia.

Su historia salió en la prensa poco después de su muerte e inspiró una canción paródica:

Naufragó Jim O'Shea un día // en una isla de la India // A los nativos les gustó su pelo // Y su sonrisa un poco de lelo

Así que le pusieron elegante // y le nombraron rajá de ellos // y ahora llevo anillos bellos...

Y viajó en un elefante // Mi pequeña rosa irlandesa // en San Patricio el rajá te besa...

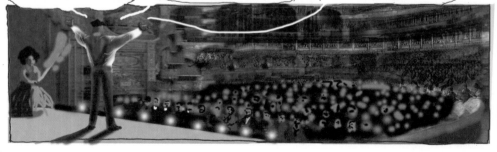

Sin embargo, vamos con lo que es conocido y relevante: O'Keefe desembarcó en Yap como capitán empleado por una compañía del cosmopolita Hong Kong.

Su barco era un junco chino renovado llamado Katherine, como su esposa de Savannah.

Su tripulación también era china.

En Yap fundó una estación comercial para la copra.

Se vio enfrentado a la población nativa que no estaba interesada en ser su mano de obra.

Concibió una solución muy astuta. Transportaría a los equipos de canteros yapeses a Palaos a bordo del Katherine.

Allí podrían trabajar con las herramientas más avanzadas que él traía.

Incluyendo la dinamita.

Unos meses después,
en su viaje de
regreso, O'Keefe
recogió a los equipos
junto con su raí.

Las piedras y los yapeses volvieron a salvo a casa.

Donde O'Keefe anunció, no sin serio riesgo, que él se quedaría el rai.

O al menos que pretendía retenerlo hasta que sus cobertizos estuvieran llenos de copra.

Esto cambió la recogida del rai en más de un sentido.

En primer lugar, la mayoría del riesgo había sido eliminado de la empresa.

En segundo, se podían tallar y transportar piedras mucho más grandes.

Los discos que se traían a casa mediante balsas tendían a no ser más grandes de un metro de ancho, pero ahora se buscaba un diámetro de hasta casi dos metros.

En tercero, las complicadas limitaciones sociales sobre quién podía obtener rai y poseerlo se erosionaron.

En consecuencia, los yapeses llegaron a valorar el "dinero de O'Keefe", tal como todavía lo llaman, menos que el antiguo rai.

La compañía bajo cuyo nombre O'Keefe negociaba cerró en 1875 y a partir de aquel momento fue su propio jefe.

Fue uno de los personajes más pintorescos de aquella época en el Pacífico, su reputación era legendaria.

David O'Keefe se quedó en Yap durante treinta años. Allí fundó una gran familia.

Vivían en una casa en una isla cerca del puerto, antaño llamada Terang y ahora conocida como isla de O'Keefe. Sólo quedan los escalones de piedra de la casa

Con el comercio de la copra se hizo moderadamente rico, y añadió varios barcos a su flota.

En 1901 iba en uno de ellos cuando no volvió de uno de sus viajes habituales a Hong Kong. Se le supone perdido en un tifón.

La única foto conocida de él, con edad avanzada, cuelga en una versión muy restaurada en el vestíbulo de la taberna de O'Keefe.

Don Evans cree que es él quien sale en una foto mucho más antigua que hay en la pared de la cantina al otro lado de la calle.

Espero a que el músico haga un descanso para poder sacarle una foto.

⑥

La dimensión económica de las piedras *rai* fue abordada de forma significativa por el antropólogo Henry Furness III en *La isla del dinero de piedra*, en 1910. Furness recogía la historia que le había contado Fatumak.

Inspirado en una vieja foto sepia de la pared de la taberna de O'Keefe

(Klingman y Green hacían que a O'Keefe lo encontrara el mismo Fatumak, sin más autoridad que la de ellos mismos).

Había una familia que era rica, pero nadie, ni siquiera ellos, había visto jamás su dinero.

Consistía en una gran piedra en el fondo del mar.

Muchos años antes, un antepasado de la familia extrajo la piedra y la estaba trayendo a casa.

Atrapados en una tormenta, tuvieron que soltarla.

Todos fueron testigos de que era una pieza magnífica, perdida sin culpa de nadie.

"Se aceptó de forma universal que el mero accidente de su pérdida era demasiado insignificante para mencionarlo..."

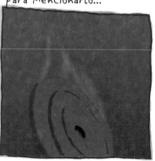

"Y que unos pocos metros de agua alejada de la orilla no debería afectar a su valor de mercado".

"El poder adquisitivo de la piedra sigue siendo tan válido como si estuviera apoyada en la casa del propietario".

Esta historia, la reclamación verbal de un valor perdido que se usaba como dinero, ha tenido una vida ampliada en el campo de la economía, empezando con Keynes en 1931.

En otras palabras, una oscura isla del Sudeste de Asia, utilizando dinero hecho de piedra, había llegado de forma independiente a la misma abstracción que caracteriza a las finanzas modernas.

Milton Friedman unió la anécdota a otra del mismo origen en una conferencia de 1991.

En 1898, los gobernadores alemanes de Yap encontraron que las sendas que unían las aldeas de Yap estaban defectuosas y ordenaron que se reparasen.

Los burdos bloques de coral eran suficientes para los pies desnudos, y "muchas fueron las veces que se repitió la orden".

Se decidió imponer una multa y enviaron un oficial a los distritos desobedientes.

Marcó cierto número de los rai más valiosos con una cruz negra.

"El pueblo, así tristemente empobrecido, se puso a trabajar en la reparación de los senderos".

Con el comportamiento aparentemente absurdo de este entretejido de anécdotas, Friedman hizo una comparación con un episodio de la historia bancaria de EE.UU.

En 1932, el banco de Francia temía que EE.UU. estuviera a punto de devaluar el dólar

Pidió al Banco de la Reserva Federal de Nueva York que convirtiera en oro los valores en dólares que mantenía allí.

Para evitar el problema de enviar el material, Francia le pidió a Nueva York que se limitara a almacenarlo en la cuenta de Francia

Las autoridades del Banco de la Reserva Federal entraron en la cámara, pusieron el número adecuado de lingotes en estanterías separadas...

Y los etiquetaron.

Los titulares de la prensa financiera lamentaban la pérdida de oro de América.

Pero ¿qué diferencia había entre las etiquetas de las estanterías y las cruces pintadas sobre las piedras?

¿O entre la creencia de Francia de que estaba en una posición más fuerte debido a un oro que tenía a 5.000 km de distancia y la piedra Yap en el fondo del mar?

Otros han añadido sus glosas: Michael F. Bryan en *La isla del dinero*, 2004, explica que el dinero de piedra de Yap no sirve a ningún fin aparte de ser dinero.

LA ECONOMÍA

EL LOCO MUNDO DE

BRYAN

90

Lo que los economistas llaman "dinero fiat",

un medio de intercambio para resolver el problema de "la coincidencia de deseos".

LA ECONOMÍA

EL LOCO MUNDO DE

TRUEQUE

3

LA ECONOMÍA

EL LOCO MUNDO DE

DINERO MERCANCÍA

5

LA ECONOMÍA

EL LOCO MUNDO DE

DINERO FIAT

10

LA ECONOMÍA

EL LOCO MUNDO DE

DINERO FIDUCIARIO

16

Otros han disentido. Dror Goldberg en "Mitos famosos del dinero fiat" se carga la historia de Furness basándose en incongruencias internas.

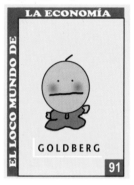

LA ECONOMÍA
EL LOCO MUNDO DE
GOLDBERG
91

El disco del mar todavía es propiedad de la familia del hombre que lo hizo, nunca ha sido utilizado en el comercio y por tanto no ha demostrado ser dinero de ningún tipo.

Para los economistas, el disco del mar entró hace mucho en el reino de la parábola y Yap mismo es una isla-estado teórica ejemplar que no necesita ser inventada.

LA ECONOMÍA
EL LOCO MUNDO DE
LA ISLA DE YAP
39

LA ECONOMÍA
EL LOCO MUNDO DE
INTERCAMBIO DE DIVISAS
60

Decidir si hay que clasificar el *rai* como "dinero fiat" o como el equivalente de la "reserva de oro", o lo que sea, está en el mismo plano que intentar calcular una tasa de cambio para él.

Furness involuntariamente popularizó la idea de que un disco de un metro equivalía a un cerdo de 50 kilos.

Lo que no tiene sentido es por qué se iba a tomar nadie la molestia de extraer y tallar y transportar una piedra sólo para comprar un cerdo con ella.

Ni cualquier otra cosa, por cierto.

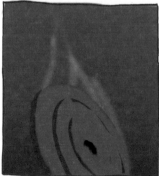

Lo que sí interesaba era mantener en la familia esta historia inmemorial, la del *rai* que se perdió.

Tengo una
curiosidad
acuciante con las
piedras, aparte
de la cuestión
económica

Si preguntas a los yapeses
por su arte, te hablarán de
bailes y ceremonias. Pero,
como artista, me gustaría
que las piedras también
tuvieran una dimensión
estética.

Sí, tenían un aspecto
grandioso y eso ya lo
he dicho, pero mi mente
siente la necesidad de ir
catalogando las piedras.

Tomar medidas, escribir
descripciones, encontrar
semejanzas, establecer
conexiones.

Para mí, estas piedras son
esculturas. Quiero identifi-
car talladores, descubrir sus
personalidades, encontrar
sus historias.

Thomas Lautz tocó este aspecto del tema en un ensayo en 2004, ¿El dinero más curioso del mundo? Al contrario que la mayoría de los comentaristas económicos, había visitado Yap en persona.

Para empezar, separó los *rai* en dos clases diferentes a grandes rasgos. Por un lado, piezas grandes, burdamente talladas.

Por otro, aquellos con un acabado más pulido, a menudo "escalonados" y de tamaño más pequeño.

Entre las piezas individuales y extraordinarias encontró algunas con un motivo decorativo alrededor del agujero central.

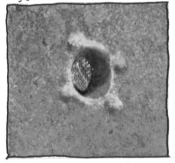

Hay una piedra prestigiosa con dos agujeros, tallada por Churen Chowon de Waryan, en Gagil. Una aldea se sometió a servidumbre para conseguirla, y luego la utilizó para comprar la paz entre otras dos aldeas enfrentadas.

John Runman me habló de una pieza llamada "la piedra mariposa". Churen Kadyed, jefe de Gachpak en Gagil, encargó dos piedras que se tallaran como una sola.

Así

Dio una parte a cada una de sus dos esposas, y como las partes eran inseparables, su plan era que las dos mujeres permanecieran juntas como esposas suyas.

Lautz las describió como gemelas siamesas, devoradas por la jungla. Preguntó a algunos jóvenes, pero no sabían que estaba allí.

John me habló de otro par de rivales, Fodal y Piluw, que intentaron burlarse el uno al otro, como Anumang y Fadan.

Esta vez intentaron cortar la piedra más grande. Según John, cada una de ellas llegó a unos 2,5 metros de diámetro.

Lo cual entiendo que es el límite del espacio de la bodega del Katherine.

Probablemente O'Keefe necesitara equilibrar el barco

En mis pesquisas iniciales descubrí dos fases del rai: O'Keefe y pre-O'Keefe. Ahora aparecía otra.

Después de O'Keefe, vinieron barcos de vapor victorianos de mayor capacidad. Cada vez cortaban piedras más grandes: 2,5 metros, 3 metros...

Fue la gran hipertrofia del dinero de piedra de Yap.

Rai ni ngochol es la descripción de una clase de piedras que han adquirido nombres individuales.

La más grande es Rewergurus, que significa "dos veces alegre", así llamada porque la esposa del jefe se sentó sobre ella.

Lo cual usted no debe hacer; es una falta de respeto.

Es la pieza más grande de dinero de piedra de la isla, con 3,5 metros de ancho. No tengo ni idea de cómo la movieron.

La piedra colosal está en Rumung y no está disponible para la vista pública debido a un suceso de mediados de los 60.

En aquella época, Rumung estaba unido a la isla principal por un sencillo puente.

Los aldeanos, convencidos de la extrema belleza del lugar, decidieron mantener alejados a los turistas, y destruyeron el puente.

No creerá que eso tuviera nada que ver con que sabotearan la luces de la pista, ¿verdad?

¡Ja!

He encontrado un artículo en la red de un escritor que ha estudiado Yap durante largo tiempo y que pudo echar un vistazo a *Rewergurus*.

Se la enseñó un tal Tomasz, cuyo abuelo, Tammad, dirigió su talla.

(¡otra que se quedó en la familia!)

Le prohibieron fotografiarla.

En la piscina, Anne habla con alguien que le dice que se puede ver si hablas con las personas adecuadas.

Venir hasta aquí y no ver Rewergurus. Pero no es posible. Nuestro vuelo sale esta noche.

En 1919, Alemania echó un borrón en su cuaderno y Japón consiguió Yap bajo el Tratado de Versalles.

Un censo japonés de 1929 contaba 13.281 piedras rai en la isla.

En 1942 y durante la Segunda Guerra Mundial, los japoneses las estaban usando como relleno para construir una pista de aterrizaje.

Y pronto como anclas de barco y con otros fines.

Entonces EE.UU. tiró un puñado de bombas sobre Yap. Debe de ser una mierda que te invada una gente y luego te bombardeen sus enemigos. Supongo que lo que veo en algunas piedras son los daños causados por la metralla.

Todavía se pueden ver los restos de los zeros japoneses estrellados en aquellos años.

Este Mazda de los 90 es igual de pintoresco; la imaginería de los coches devorados por la jungla tiene su propia estética.

La última pieza de rai se hizo en 1931

Fue extraída y tallada por Gilimoon de la aldea de Dechumur y se la dieron a Figir de Luwech.

Gilimoon había sido exiliado de Yap y, por este medio, recuperó su lugar en la comunidad.

También acabó de relleno.

Después de la guerra, Yap cayó bajo protectorado de EE.UU. Igual que en períodos anteriores el rai llegó a los museos de Alemania y Japón, ahora aterrizó en América.

Washington, Smithsonian

La información de la cartela de esta pieza nos dice que Yo-u la hizo en 1904. La trajo a Yap en el vapor Germania. Pertenecía al jefe Gaaq de Balabat cuando fue vendida al Smithsonian con permiso de su comunidad en 1962.

En *El dinero de piedra de Yap, una investigación numismática*, 1975, Cora Gillilland cataloga 148 piedras *rai* conocidas en museos de todo el mundo.

También ofrece la transcripción de las declaraciones de una demanda civil de 1961 interpuesta en Yap por la propiedad de una piedra.

El sumario narrativo da una idea valiosísima de cómo se seguía usando ese material en el siglo XX.

Urun y Tamangiro, de la aldea Af de Tamil, fueron a Palaos y trajeron tres piezas de *rai*. Dieron la más grande a la aldea de Af y se quedaron una cada uno de las más pequeñas.

La casa de Urun se quemó, y el pueblo de Af le ayudó a reconstruirla. Él dio su piedra a Af.

Esta piedra fue entregada más tarde por Af a la aldea de Dechumur en agradecimiento por un baile que celebraron, y la piedra fue llevada a Dechumur, donde permaneció hasta el 15 de ENERO de 1960.

Mientras tanto, Tamag de Dechumur obtuvo una pieza de *rai* de Palaos de aproximadamente el mismo tamaño, y el pueblo de Dechumur se la dio al pueblo de Af.

Le dieron la otra pieza a Tamag, que se la dio a su hermano Fazagol cuando éste estaba a punto de construir una casa.

Fazagol se la dio a Puguu en pago por un techo de hojalata. Y aquí es donde la cosa empieza a complicarse

Choo, el demandante, afirmaba que Puguu se la había dado a él en 1937 como regalo de bodas a cambio de la garantía de Choo...

de cuidar a tres hijos que la esposa de Choo traía a su casa en el momento de su matrimonio.

Sin embargo, Pong, el acusado, afirmaba que Puguu se la dio a _él_ en 1938 a cambio de alcohol, algo de dinero concha, y ayuda.

El 15 de enero de 1960, Pong llegó con otros hombres y se llevó la piedra ante las protestas de Choo.

A cambio de 125 $, Pong vendió la piedra al Museo del Dinero del

El juez decidió en favor de Choo y ordenó que Pong le diera a Choo los 125 $, que no era una cantidad pequeña para el dinero de entonces.

Banco Nacional de Detroit

Para 1964, la cifra de _rai_ de la isla era de 6.600, y en 1965 se aprobó una legislación que dificultase las exportaciones.

En 1986, Yap se convirtió en un estado independiente dentro de los Estados Federales de Micronesia.

EE.UU. todavía echa un puñado de dólares a su economía. Estoy leyendo un blog de un contribuyente norteamericano de Guam que se queja de eso.

Houston

En nuestro último día, esperaba ver algunos bailes de la aldea.

Estoy leyendo que en el Día de Yap de un año hace poco, el baile tradicional de una aldea fue realizado por otra aldea. Incluso una danza se puede comprar y vender en Yap.

Sin embargo, el hotel no puede reunir el público requerido para organizar el espectáculo. Los suizos, enfrentados con el problema de que es desaconsejable bucear el mismo día que vas a volar, prefieren cocerse.

La danza y las piedras reflejan la misma imaginación colectiva, o cultura...

un mundo complejo que se impone sobre su pueblo como una transcripción de la realidad...

Liberando las mentes de las limitaciones que nos enseñan lo poco que puede expandirse nuestra mente tal como desearíamos.

Sus historias sin duda están llenas de lo sabio, lo espiritual, lo mítico y lo encantador.

Podría haber indagado más si me hubiera concedido algo más de cinco días...

Y no fuera simplemente un traficante de curiosidades.

Este relato es de aventuras, riesgo y enriquecimiento. Empieza con embaucadores rivales conjurando tifones.

Y acaba, como demasiadas de nuestras narraciones, con dos personas disputando en el juzgado.

Invariablemente, es por

Esa cosa maravillosa y horrible.

93

Hoy nos rodean abstracciones monetarias extraordinariamente complicadas

Pero camino de casa, noto que mi cabeza va en la dirección contraria. Estoy pensando en los cromos de los chicles.

Todos acumulábamos un buen montón, sacando dos cromos al azar cada vez. Algunos se consideraban especiales. Podía ser un personaje de dibujos, un jugador de fútbol, un helicóptero...

Los intercambiábamos. Un cromo especial podía exigir varios menores, pero soltar uno especial no era el fin del mundo...

porque estábamos en un sistema cerrado y todo acababa volviendo. A menos que pasara lo peor y el crío se trasladara a otra escuela

Procesar algo más allá de mañana por la tarde era demasiado complicado para pensarlo

Un cromo mostraba las marcas de cada mugrienta mano que lo había tocado.

Una vez cambié un cromo especial por un par de botas de fútbol, temporalmente, claro, y así podía lucir el estilo de los 60

Sabía que nunca podría explicar adecuadamente a mi madre la bondad de aquello, que no lo habría entendido.

Así que escondía las botas después de cada partido. En aquellos tiempos, las madres no te llevaban en coche a todas partes.

Nunca lo pregunté, pero jamás he entendido cómo la otra madre pudo ignorar el negocio.

En el fondo de nuestras cabezotas se agazapaba la sensación de que las cuentas de nuestro sistema sobrepasaban la inteligencia de los adultos.

Un año después de esta ingenua ensoñación, mi esposa está echándome la bronca por el dinero.

Dura ya más de un mes.

Porque eres un ma- niático del control.

Y todos estos años yo creía tenerlo todo controlado.

Explico la teoría monetaria básica al consejero matrimonial.

puedes flotar agarrándote a estos globos rosas, ¿ves?

o puedes zambullirte al fondo del mar con todo tu efectivo.

Eddie Campbell 4/'10 10 5/'11

Gracias: a Wes Kublick, mi frecuente colaborador hace muchos años. Una vez hicimos dos semanas de una "tira diaria" protagonizada por un William Shakespeare que escribía interminablemente cartas reclamando el dinero que se le debía, lo cual nos parecía hilarante. Sin embargo, descubrimos que tal vez tuvieras que ser un autor dado de alta como autónomo para "pillarlo". He robado un pedazo del diálogo que escribió Wes y lo he reutilizado en las páginas 9 y 10; a Daren White, que escribió su propia jerigonza contable para mí en las páginas 20-21; a Michael Eaton, por hablarme del dinero de piedra de Yap; a John Runman, de la Oficina para la Conservación Histórica de Yap, que me informó sobre su historia; a Don Evans, de la Oficina de Visitantes de Yap, experto en el tema del Capitán O'Keefe; a Anne, que fue la conductora y la factótum del viaje; a Jason Conlan, que consiguió una copia de la película *Su majestad de los mares del Sur* a través de Andrew de Trash Video, el sitio donde se consiguen las cosas más difíciles en esta ciudad (por cierto, la portada del libro de bolsillo que he reproducido en la págin 70 está pintada por Warren King, un dibujante de cómics que se pasó a la ilustración en 1950); a Gareth y Andrew por la aventura de intentar hacer un programa de televisión a partir de mis desvaríos. Si he hecho con demasiada alegría que aquí parezcan mis antagonistas, ellos saben qu lo he hecho en nombre del "dramatismo" que intentaron extraer del material. ¡Buf!

Lecturas:

The Island of Stone Money, UAP of the Carolines, William Henry Furness, 1910
His Majesty O'Keefe, Lawrence Klingman y Gerald Green, 1950

Todo lo siguiente se puede encontrar en pdf en internet:

The Stone Money of Yap: A numismatic survey, Cora Lee C. Gillilland, 1975
The Island of Stone Money, Milton Friedman, febrero 1991
Island Money, Michael F. Bryan, 1 de febrero, 2004
The world's most curious money? Huge stone discs used on the Micronesian island of Yap, Thomas Lautz, 2004
Famous Myths of Fiat Money, Dror Goldberg
Cultural Heritage and Communities in Palau, Rita Olsudong, 2006
The Man Who Was Reputed to be King: David Dean O'Keefe, Francis X. Hezel, SJ

MI LIBRO SOBRE EL DINERO

Esa cosa maravillosa y horrible

Título original: *The Lovely Horrible Stuff* © 2012 by Eddie Campbell. Published by agreement with Top Shelf Productions. © 2012 Astiberri Ediciones por la presente edición. Colección Sillón Orejero

Diseño de portada de Eddie Campbell y Chris Ross

Traducción: Santiago García. Rotulación: Ana González de la Peña
Maquetación: Manuel Bartual. www.estudiomanuelbartual.com

ISBN: 978-84-15163-92-3. Depósito legal: BI-1319-12
Impresión: Ona. 1.ª edición: noviembre 2012

Astiberri Ediciones. Apdo. 485. 48080 Bilbao
info@astiberri.com www.astiberri.com